简·味

COOK WITH INSPIRATIONS

张小马 主编

电子工业出版社
Publishing House of Electronics Industry
北京·BEIJING

主　编 / Chief Editor：张小马 Aileen Zhang
制　作 / Content Producer：张小马 Aileen Zhang
摄　影 / Photographer：孙梓峰 Sun Zifeng
平面设计 / Graphic Design：孙梓峰 Sun Zifeng
运　营 / Operator：素食星球 Veg Planet

这不是一本循规蹈矩的食谱书，而是一本能让你做出惊喜饭菜的灵感集。

这些灵感是极简的。
没有多余的食材，没有冗长的步骤。

这些灵感是健康的。
告别油腻的大鱼大肉，用新鲜的蔬果和谷物善待自己。

这些灵感是美味的。
用简单的方法调和出食物本身的无穷好味。

这些灵感是随意的。
无需因为缺少某一种调料而烦恼，忘掉一丝不苟，大胆去烹煮。

这些灵感是美好的。
令人惊喜的饭菜，正是一次次心血来潮与突发奇想的成果。这恰巧也是做饭的乐趣。

别再面对冰箱而不知所"吃"了，让自己在厨房中更随心所欲些，便是这本书的意义和价值所在。

目录

基础酱料

Basic Sauce

牛油果酱

材料：

熟透的牛油果 1 个
柠檬（取汁）1/4 个
海盐 适量

步骤：

牛油果取果肉，放入碗中，加入其他食材，用
叉子按压成酱，搅拌均匀即可。

无五辛 / 无麸质 / 生食

罗勒青酱

材料：

新鲜罗勒叶 1 把

松子仁 5 大匙

营养酵母 2 大匙

柠檬（取汁） 1/2 个

橄榄油 适量

步骤：

1. 在搅拌机中加入罗勒叶、松子仁、营养酵母和柠檬汁。

2. 在搅拌过程中慢慢加入适量橄榄油，可选择"点动"模式，搅打成有颗粒感的混合物。

搅拌机

无五辛 / 无麸质 / 生食

腰果酱

材料：

生腰果 1 碗

饮用水 适量

营养酵母 2 大匙

海盐 适量

大蒜 1 瓣

步骤：

1. 生腰果浸泡一夜后，沥干水分。

2. 将所有食材放入搅拌机，搅拌至顺滑即可。

搅拌机

无麸质 / 生食

烤甜椒酱

材料：

红甜椒 2 个

葵花籽 1/2 杯

柠檬（取汁） 1/4 个

烟熏辣椒粉 适量

喜马拉雅粉盐 适量

步骤：

1. 烤箱预热至 200℃。将红甜椒对半切开，挖出
   籽后放入烤箱内烘烤 40 分钟后取出。
2. 将烤好的红甜椒与其他食材一起放入搅拌机，
   搅拌至均匀即可。

注：烟熏辣椒粉 (Paprika)；喜马拉雅粉盐 (Himalaya salt)

搅拌机 / 烤箱

无麸质 / 无五辛

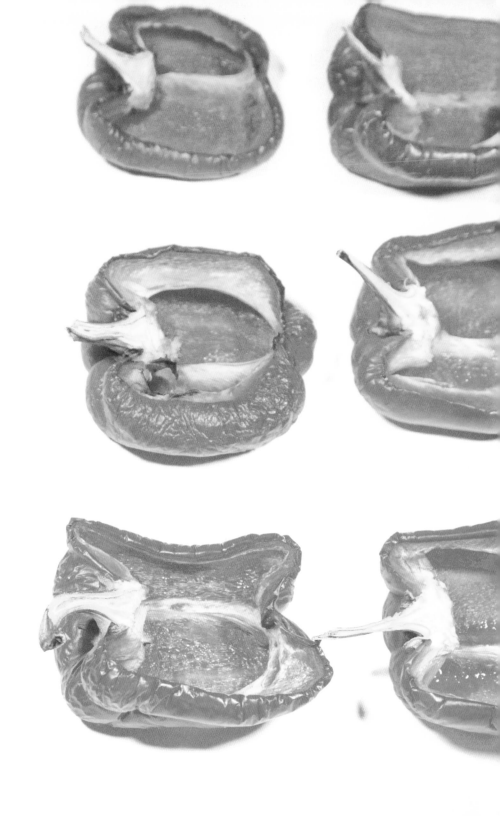

鹰嘴豆泥酱

05

材料：

煮熟的鹰嘴豆 1 碗

白芝麻 3 大匙

孜然粉 适量

海盐 适量

饮用水 适量

步骤：

1. 将白芝麻放入锅中烘烤，避免烤糊。

2. 将煮熟的鹰嘴豆、烤过的白芝麻、孜然粉和海盐在搅拌机中搅拌，其间慢慢加入适量饮用水，并搅拌均匀即可。

搅拌机

无麸质 / 无五辛

肉桂红薯酱

搅拌机

无麸质 / 无五辛

材料：

红薯（中等大小）1个
胡萝卜 1 根
温开水 适量
肉桂粉 适量

步骤：

1. 将红薯与胡萝卜隔水蒸熟后放入搅拌机，倒入温开水，搅拌成泥。
2. 拌入肉桂粉。

花生酱

材料：

花生仁（无需去皮）1 碗

红糖 3 大匙

花生油 适量

饮用水 适量

步骤：

1. 将花生仁在锅中烘烤，避免烤糊。

2. 将烘烤后的花生仁先少量放入搅拌机，随后加入适量的花生油与饮用水，直到花生仁被搅打成顺滑的花生酱，再继续放入花生仁直到全部搅打完。

3. 最后加入适量红糖，继续搅拌至顺滑即可。

搅拌机

无麸质／无五辛

黄油草莓酱

材料：

草莓 1/2 碗

新鲜薄荷叶 1 枝

植物黄油 3 大匙

龙舌兰蜜 适量

步骤：

将所有食材用搅拌机低速搅拌至混合均匀即可。

搅拌机

无麸质 / 无五辛

开放式三明治的配料

Topping On The Open Sandwiches

松子番茄

材料：

番茄 1/2 个

洋葱 1/4 个

松子仁 1 大匙

海盐 适量

橄榄油 适量

步骤：

1. 番茄、洋葱切丁后混合在一起。

2. 向混合物中撒入松子仁、海盐、橄榄油，搅拌
   均匀即可。

迷迭香土豆

Boiled Potato With Rosemary

材料：

土豆 1/2 个
新鲜迷迭香 1 枝
现磨黑胡椒 适量
喜马拉雅粉盐 适量

步骤：

1. 土豆洗净后，无需去皮，切成小块，在沸水中煮 15 分钟后取出并冷却。
2. 在土豆表面撒上喜马拉雅粉盐、现磨黑胡椒和新鲜迷迭香即可。

无麸质 / 无五辛

烤茄子

03

材料:

长茄子 1 个

蒜末 适量

橄榄油 适量

海盐 适量

步骤:

1. 将烤箱预热至 220℃。

2. 长茄子切片后,涂抹上橄榄油和蒜末,撒上适
   量的海盐,在烤箱内烘烤 20 分钟至熟透即可。

烤箱

无麸质

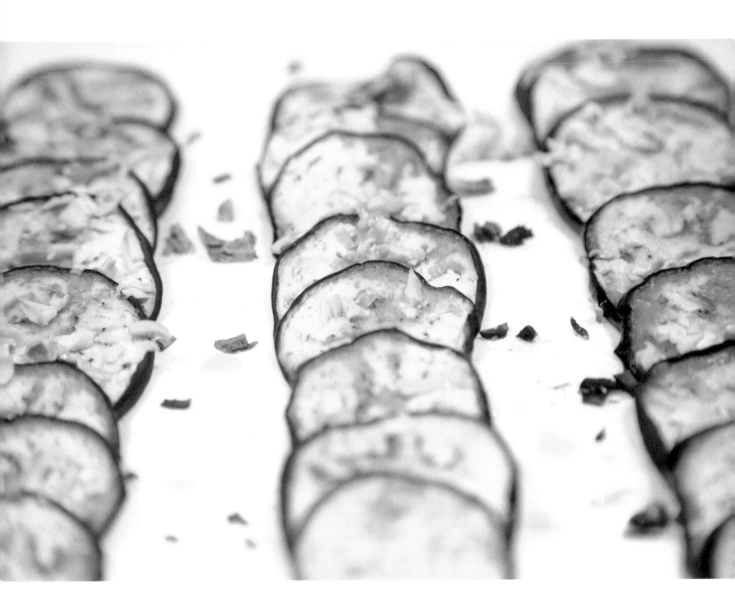

黑醋牛油果

材料：

熟透的牛油果 1 个

樱桃番茄 2 个

新鲜罗勒叶 少许

意大利黑醋 适量

喜马拉雅粉盐 适量

步骤：

1. 牛油果取果肉，切片；樱桃番茄切片。

2. 在牛油果表面点缀上樱桃番茄片和新鲜罗勒叶，淋上意大利黑醋，撒上喜马拉雅粉盐即可。

无五辛

香蕉泥

Mashed Banana With Coconut Flakes

材料：

香蕉 1 根
椰子脆片 适量
巧克力酱 适量

步骤：

1. 将香蕉用叉子压成泥。
2. 在香蕉泥表面挤上巧克力酱，再撒上椰子脆片即可。

无麸质 / 无五辛

百里香菠萝

材料:

菠萝 1/2 个
新鲜百里香 适量
龙舌兰蜜 适量

步骤:

1. 将烤箱预热至 180℃；菠萝去皮、切片。

2. 将菠萝片放在烤盘上, 均匀地涂抹上龙舌兰蜜,
   再放上新鲜百里香, 放入烤箱内烘烤 30 分钟
   即可。

烤箱

无麸质 / 无五辛

果昔

Smoothies

羽衣甘蓝
杏仁奶

材料：

羽衣甘蓝（去梗）1 把

冻香蕉 2 根

无糖杏仁奶 1 杯

香草精 1 滴

肉桂粉 少许

步骤：

将所有食材放入搅拌机，高速搅拌至顺滑即可。

搅拌机

无五辛 / 无麸质 / 生食

02

菠菜奇亚籽能量饮

材料：

奇亚籽 2 大匙
菠萝 1/3 个
苹果 1/2 个
菠菜 1 把
植物奶 1 杯

步骤：

1. 提前将奇亚籽浸泡在 1/3 杯容量的植物奶中 2 小时或隔夜浸泡，直至奇亚籽凝固成布丁状，备用。
2. 菠萝、苹果切成小块，菠菜切段。
3. 将除奇亚籽以外的其余食材放入搅拌机，高速搅拌至顺滑。
4. 将搅拌好的混合物倒入浸泡好的奇亚籽中即可。

搅拌机

无五辛 / 无麸质 / 生食

牛油果
巧克力奶

材料：

熟透的牛油果 1 个

无糖植物奶 1 杯

可可粉 2 大匙

椰枣（去核） 4 颗

海盐 少许

步骤：

1. 牛油果取果肉，和无糖植物奶一起放入搅拌机，
   高速搅拌至顺滑。

2. 再将可可粉、椰枣和海盐放入搅拌机，继续高
   速搅拌至顺滑即可。

搅拌机

无五辛 / 无麸质 / 生食

04 浆果香蕉果昔

材料：

综合浆果 1/2 杯
香蕉 1 根
椰浆 1/2 杯
饮用水 1/2 杯

步骤：

香蕉切成小块，将所有食材放入搅拌机，高速搅拌至顺滑即可。

搅拌机

无五辛 / 无麸质 / 生食

注：综合浆果可自选，如蓝莓、树莓等

沙拉与酱汁

Salad And Dressing

藜麦芦笋沙拉 01

材料：

三色藜麦 1/2 杯
芦笋尖 适量
山核桃 适量
樱桃番茄 3 个
罐头玉米粒 3 大匙

步骤：

1. 将三色藜麦在沸水中煮熟后，沥干水分并冷却。
2. 将芦笋尖在沸水中焯 3 分钟，沥干水分并冷却。
3. 将三色藜麦、罐头玉米粒与柠檬芥末汁混合，
   在表面点缀上芦笋尖、樱桃番茄和山核桃即可。

配

柠檬芥末汁 Dijon Mustard Sauce

橄榄油 3 大匙
柠檬汁 2 大匙
枫糖浆 1 小匙
第戎芥末酱 1 大匙

将所有食材混合
均匀即可。

清爽节瓜沙拉 02

材料：

绿色节瓜 1/2 根

黄色节瓜 1/2 根

香菜 1 根

火麻仁 适量

步骤：

用刨丝器将节瓜刨成长丝，
撒上香菜和火麻仁，淋上
芝麻姜汁即可。

配

芝麻姜汁　Ginger Sauce With Sesame

葵花籽油 2 大匙

白葡萄酒醋（或苹果醋）2 大匙

枫糖浆 1 大匙

姜末 少许

芝麻 少许

将所有食材混合
均匀即可。

无麸质 / 生食

烤土豆沙拉

材料：

土豆 1 个

彩椒 1/2 个

芝麻菜 少许

羽衣甘蓝（去梗）少许

橄榄油 适量

步骤：

1. 烤箱预热至 220℃。

2. 土豆切成小块，彩椒切丝，二者用橄榄油拌匀。
   将土豆、彩椒一起放入烤箱内烘烤 15 分钟，

3. 翻面继续烘烤 15 分钟，直至熟透。将芝麻菜
   和羽衣甘蓝铺在盘子上，再放入烤好的土豆块、
   彩椒丝，淋上意大利式香草汁即可。

配

意大利式香草汁 Italian Seasoning Sauce

橄榄油 2 大匙

白葡萄酒醋（或米醋）2 大匙

意大利式综合香料 1 小匙

枫糖浆 少许

海盐 少许

将所有食材混合
均匀即可。

杏仁南瓜沙拉 04

材料：

贝贝南瓜 1 个
西兰花 1 个
杏仁碎 1 把
橄榄油 适量

步骤：

1. 烤箱预热至 220℃。

2. 南瓜切片，均匀地淋上橄榄油。将南瓜放入烤箱内烘烤 15 分钟，随后翻面继续烘烤 15 分钟，直至熟透。

3. 西兰花切成小块，用沸水焯熟，沥干水分。

4. 将烤好的南瓜、焯熟的西兰花与蒜香芝麻酱拌匀后，撒上杏仁碎即可。

配

蒜香芝麻酱　Garlic Tahini

稀释过的芝麻酱 2 大匙
橄榄油 适量
大蒜 1 瓣
柠檬（取汁）1/2 个
海盐 适量

将所有食材混合
均匀即可。

无麸质

60

注：芝麻酱 (Tahini)

汤

Soup

椰香玉米浓汤 01

材料：

玉米粒 1 杯

土豆 1 个

椰浆 1 杯

大蒜 2 瓣

盐 适量

饮用水 适量

步骤：

1. 将玉米粒和土豆煮熟。

2. 将所有食材放入搅拌机，搅拌至顺滑即可。

搅拌机

无麸质

土豆浓汤

02

材料:

土豆 1 个

洋葱 1/2 个

番茄 1 个

大蒜 2 瓣

海盐 适量

饮用水 适量 (可没过全部食材)

步骤:

1. 在沸水中加入土豆、洋葱，同煮 15 分钟，再加入番茄继续煮 10 分钟，最后加入海盐调味。

2. 将煮好的食材及汤水全部倒入搅拌机，加入大蒜后，搅拌至顺滑即可。

搅拌机

无麸质

豆腐酱汤

材料:

内脂豆腐 1/2 块

白萝卜 1/2 根

豆瓣酱 2 大匙

苹果醋 1 小匙

饮用水 适量

步骤:

1. 将内脂豆腐和白萝卜切块。

2. 在锅中加入饮用水,加入白萝卜煮熟且变软后,
   加入豆瓣酱和苹果醋调匀。

3. 把白萝卜块和汤盛入碗中,放入内脂豆腐即可。

胡椒番茄冷汤　04

材料：

番茄 2 个

浓缩番茄酱 1 大匙

龙舌兰蜜 2 大匙

黑胡椒粉 适量

新鲜薄荷叶 少许

饮用水 适量

步骤：

1. 将番茄、浓缩番茄酱、饮用水、龙舌兰蜜放入
   搅拌机，高速搅拌至顺滑。

2. 将混合物倒入碗中，撒上适量黑胡椒粉，并点
   缀上新鲜薄荷叶即可。

开胃菜

Appetizer

柠檬黄瓜丝

01

材料：

秋黄瓜 2 根

柠檬汁 少许

大蒜（切末）3 瓣

喜马拉雅粉盐 适量

现磨黑胡椒 适量

步骤：

1. 将秋黄瓜用刨丝器刨成连续不断的细丝，将柠檬汁与盐混合后淋在黄瓜丝上并拌匀，放入冰箱冷藏片刻。

2. 将黄瓜从冰箱中取出，撒上蒜末和现磨黑胡椒并拌匀即可。

刨丝器

无麸质 / 生食

腰果节瓜塔

02

材料：

绿色节瓜 1/2 根
黄色节瓜 1/2 根
腰果酱 适量
烟熏辣椒粉 适量

步骤：

将节瓜切成薄片，涂上一层腰果酱，随后放上一片节瓜片，再涂上一层腰果酱，重复以上步骤至三层即可。

无麸质 / 生食

腌渍甜菜根

材料：

甜菜根 1/2 个

姜 3 片

柠檬（取汁） 1/4 个

海盐 适量

龙舌兰蜜 适量

步骤：

1. 将甜菜根去皮并切成薄片，随后与姜片混合均匀，加入适量的海盐拌匀，静置片刻。

2. 将腌过的甜菜根片与姜片放入干净且干燥的密封罐中，将柠檬汁、海盐、龙舌兰蜜混合均匀，倒入密封罐中，放入冰箱冷藏过夜即可。

无五辛 / 无麸质 / 生食

蒜香天贝片

04

材料:

天贝 1 块
大蒜 2 瓣
橄榄油 适量
喜马拉雅粉盐 适量
现磨黑胡椒 适量

步骤:

1. 天贝切成薄片；大蒜切片，用大蒜的横截面在
   天贝片上均匀涂抹。
2. 在平底锅中倒入橄榄油，把天贝片煎至两面呈
   金黄色，随后放入盘中，再撒上适量的喜马拉
   雅粉盐和现磨黑胡椒即可。

无麸质

墨西哥玉米脆 05

材料：

番茄 1/2 个
白洋葱 1/4 个
塞拉诺辣椒 1 根
牛油果酱 适量
玉米片 适量

步骤：

将牛油果酱涂抹在玉米片上，再将番茄、白洋葱、
塞拉诺辣椒切碎并拌匀，点缀在玉米片上即可。

注：赛拉诺辣椒 (Serrano) 可用青椒代替。

无麸质

橄榄饼干脆棒 06

材料：

去核橄榄（罐头）1/2 罐

橄榄油 适量

大蒜 1 瓣

海盐 适量

饼干脆棒 1 包

步骤：

1. 将去核橄榄与大蒜放入搅拌机，用"点动"模式打成酱，其间倒入适量橄榄油与海盐。
2. 用饼干脆棒蘸取做好的橄榄酱享用。

搅拌机

土豆泥

07

材料：

土豆（大小适中）2 个
白洋葱 1/4 个
腰果酱 5 大匙
海盐 适量

步骤：

1. 土豆切成小块，白洋葱切成细丝。

2. 将土豆块在沸水中煮 15 分钟，随后加入洋葱丝再煮 15 分钟，捞出后沥干水分。

3. 加入腰果酱，用叉子将土豆捣碎，最后撒上海盐，并搅拌均匀即可。

无麸质

香辣鹰嘴豆

材料：

熟鹰嘴豆 1 碗

橄榄油 适量

现磨黑胡椒 适量

烟熏辣椒粉 适量

喜马拉雅粉盐 适量

步骤：

1. 烤箱调至 200℃，预热 10 分钟。

2. 将橄榄油均匀涂抹在热鹰嘴豆上，撒上现磨黑
   胡椒、烟熏辣椒粉、喜马拉雅粉盐。将鹰嘴豆
   放入烤箱内烘烤 20 分钟直至表面金黄酥脆即可。

烤箱

无五辛 / 无麸质

无国界料理

Fusion Cuisine

香菇嫩豆腐

材料：

内脂豆腐 1 块
干香菇 2 朵
有机酱油 适量
醋 少许
芝麻油 少许

步骤：

1. 干香菇提前泡发，切成丝。无需放油，将香菇放在平底锅中略煎。

2. 内脂豆腐切成块，在豆腐表面放上煎好的香菇。

3. 将有机酱油、醋、芝麻油混合均匀，淋在香菇豆腐上即可。

无五辛 / 无麸质

豆腐丸子

材料:

北豆腐 1 块
面粉 适量
椒盐 适量
植物油 适量
番茄酱 适量

步骤:

1. 将北豆腐隔纱布攥干水分,之后放入适量面粉,加入椒盐调味,搅拌均匀。用手取适量混合物,揉成丸子状。

2. 锅中倒入植物油,油热后,加入丸子炸至表面呈金黄色,捞出后沥干油渍。

3. 蘸番茄酱食用即可。

无五辛

蔬菜天妇罗

材料：

胡萝卜 1 根

芦笋 2 根

稀面糊 适量

植物油 适量

辣椒仔辣椒酱 适量

步骤：

1. 胡萝卜切条，芦笋取中上部。

2. 锅中倒入植物油，待油烧热后，将胡萝卜条和
   芦笋挂上稀面糊，下锅炸至表皮变硬且稍呈金
   黄色后，捞出，沥油。

3. 将天妇罗摆入盘中，蘸辣椒酱食用即可。

注：1. 稀面糊用适量的面粉和饮用水调和均匀，可包裹住食物即可。

2. 辣椒仔辣椒酱 (Tabasco)

土豆丝饼

材料:

土豆 1 个

胡萝卜 1/2 个

面粉 适量

葡萄籽油 适量

牛油果酱 1/2 碗

步骤:

1. 将土豆和胡萝卜用刨丝器擦成丝,与适量面粉
   混合均匀,并能黏合在一起。

2. 锅中倒入葡萄籽油,取适量土豆丝和胡萝卜丝
   混合物在锅中煎 5 分钟,随后翻面再煎至两
   面呈金黄色。

3. 将牛油果酱抹在土豆丝饼上即可。

刨丝器

番茄藜麦碗

05

材料：

番茄 2 个
三色藜麦 1/2 杯
罗勒青酱 适量

步骤：

1. 将三色藜麦煮熟后，沥干水分。

2. 将番茄底部切去，掏空中部，形成碗状。将拌好的藜麦填入番茄，最后点缀上罗勒青酱即可。

无麸质

香蒜口蘑

06

材料：

口蘑（中等大小）10 朵
大蒜 4 瓣
香菜 3 根
酱油 1 大匙
现磨黑胡椒 适量

步骤：

1. 口蘑切片，大蒜和香菜切末。

2. 锅中倒入口蘑，翻炒至出汤，加入酱油，继续翻炒 2 分钟。加入蒜末和香菜末，再翻炒几下，出锅后撒入现磨黑胡椒即可。

无麸质

咖喱蔬菜

材料:

土豆 1 个

胡萝卜 1 根

玉米 1 根

泰式咖喱酱 3 大匙

饮用水（或椰浆）适量

步骤:

1. 土豆和胡萝卜切成小块，玉米切成小段。

2. 将土豆和胡萝卜放入锅中，加入稍没过食材的饮用水，盖上锅盖小火焖煮 10 分钟，再加入玉米煮 5 分钟。

3. 打开锅盖，加入泰式咖喱酱，翻动几下并搅拌均匀，继续煮至熟即可。

浓香豌豆

材料:

豌豆 1 碗

金针菇 1 小把

土豆浓汤 适量

海盐 适量

步骤:

1. 锅中倒入豌豆，加入刚没过豌豆的土豆浓汤，
   煮 5 分钟。

2. 加入金针菇翻炒几下，再煮 3 分钟，最后加
   入海盐调味即可。

注：土豆浓汤（在本书第 76 页）

番茄菜花

材料：

菜花 1/2 棵

番茄 1 个

紫洋葱 1/4 个

番茄酱 适量

橄榄油 适量

海盐 适量

步骤：

1. 菜花、番茄、紫洋葱切块。将菜花在沸水中焯一下，捞出备用。

2. 锅中倒入橄榄油，倒入紫洋葱块翻炒至软，再加入番茄块继续翻炒，直至番茄成酱状。

3. 最后加入番茄酱和海盐调味，倒入焯好的菜花继续翻炒 2 分钟即可。

无麸质

煎杏鲍菇

Fried King Oyster Mushroom

材料:

杏鲍菇 2 根
葡萄籽油 适量
海盐 适量

步骤:

1. 将杏鲍菇竖着切成薄厚均匀的片。

2. 在平底锅内倒入葡萄籽油，放入杏鲍菇，小火
   煎至两面呈金黄色，撒入适量的海盐即可。

无五辛 / 无麸质

剁椒秋葵

材料：

秋葵 5 根

剁椒酱 适量

步骤：

1. 将秋葵在沸水中焯熟后捞出，沥干水分。

2. 将剁椒酱淋在秋葵上。

无五辛 / 无麸质

姜味豆腐

材料：

北豆腐 1 块

姜 1 小块

有机酱油 适量

海盐 适量

香醋 少许

步骤：

1. 烤箱预热至 200℃；豆腐切厚片，撒上海盐；
   姜切末。

2. 将豆腐片放入烤箱内烘烤 30 分钟，其间翻面
   一次，烤好后取出。

3. 将姜末、有机酱油、香醋混合均匀，淋在豆腐
   上即可。

烤箱

无五辛 / 无麸质

草莓芦笋

材料：

芦笋 1 把

草莓 5 颗

柠檬（取汁）1/2 个

喜马拉雅粉盐 适量

步骤：

1. 烤箱预热至 200℃，将芦笋放入烤箱内烘烤 15 分钟。

2. 草莓切片后，点缀在芦笋上，淋上柠檬汁，撒上喜马拉雅粉盐即可。

烤箱

无五辛 / 无麸质

孜然平菇

材料：

平菇一盘
葡萄籽油 适量
孜然粉 适量
海盐 适量

步骤：

1. 用手将平菇撕成小条，再淋上葡萄籽油，撒上
   孜然粉和海盐，搅拌均匀。

2. 将烤箱预热至 180℃，将平菇放入烤箱内烘烤
   20 分钟，取出后略搅拌，再继续烘烤 20 分
   钟即可。

烤箱

无五辛 / 无麸质

盐烤茭白

15

材料：

茭白 2 根

粗粒海盐 1 杯

现磨黑胡椒 适量

步骤：

1. 将粗粒海盐铺满烤盘，烤箱预热至 170℃，烘烤 10 分钟。

2. 在烤好的粗粒海盐烤盘中，放入洗净且沥干水分的茭白，继续烤 20 分钟，至茭白稍呈金黄色。从烤箱中取出后，撒上现磨黑胡椒即可。

烤箱

无五辛 / 无麸质

烧烤杏鲍菇

烤箱

无麸质

材料:

杏鲍菇 2 根
生菜叶 10 片
橄榄油 适量
烧烤酱 适量

步骤:

1. 用手将杏鲍菇撕成条,铺在烤盘上,均匀地淋
   上橄榄油。
2. 烤箱预热至 200℃,将杏鲍菇放入烤箱内烘烤
   30 分钟后取出,用烧烤酱拌匀。
3. 用生菜叶包裹杏鲍菇享用。

茄汁焗鹰嘴豆 17

材料：

长茄子 1 个
煮熟的鹰嘴豆 1/2 杯
浓缩番茄酱 3 大匙
橄榄油 3 大匙
大蒜 3 瓣

步骤：

1. 将长茄子对半切开，用刀在茄肉上划几下，均匀涂抹上橄榄油和浓缩番茄酱。大蒜切末。

2. 烤箱预热至 180℃，将茄子放入烤箱内烘烤 30 分钟，随后加入鹰嘴豆和蒜末，再烘烤 20 分钟即可。

烤箱

无麸质

烟熏红薯

18

材料：

红薯（中等大小） 2 块

椰子油 适量

腰果白酱 4 大匙

香菜 少许

烟熏辣椒粉 适量

步骤：

1. 将烤箱预热至 250℃，在红薯表面均匀地涂抹
   上椰子油，放入烤箱内烘烤 40 分钟。

2. 将红薯从烤箱内取出后切开，放上腰果白酱、
   香菜，撒上烟熏辣椒粉即可。

烤箱

无五辛 / 无麸质

椰香烤玉米

材料：

玉米 2 根

椰浆 适量

柠檬（取汁）1/2 个

海盐 适量

步骤：

1. 将玉米在水中浸泡 10 分钟，以防止外皮烤焦。
   将烤箱预热至 200℃，将玉米放入烤箱内烘烤
   30 分钟，其间不时转动玉米令其受热均匀。

2. 玉米烤好后，淋上柠檬汁和椰浆，撒上海盐即可。

烤箱

无五辛 / 无麸质

秋葵寿司卷

材料：

寿司米饭 1 碗

寿司海苔 2 张

秋葵 6 根

黑芝麻 适量

新鲜薄荷叶 少许

步骤：

1. 在寿司帘上铺上一层保鲜膜，将寿司米饭平整地铺在保鲜膜上，再铺上寿司海苔。

2. 将秋葵焯水，沥干水分后冷却，码放在寿司米饭的一侧。之后卷起寿司帘并握紧，卷成寿司卷后，撕掉保鲜膜。

3. 用刀将寿司卷切成若干块，点缀上黑芝麻和新鲜薄荷叶即可。

寿司帘 / 保鲜膜

无五辛 / 无麸质

138

白酱意大利面 21

材料：

白洋葱 1/3 个

橄榄油 适量

椰浆 1 杯

海盐 适量

意大利面 1 把

步骤：

1. 将白洋葱切碎，锅中倒入橄榄油，加入白洋葱碎翻炒至呈透明状。倒入椰浆后加热，再加入适量海盐调味，关火。

2. 将煮好的意大利面放入锅中，与白酱混合均匀即可。

蔬菜通心粉

22

材料:

通心粉 1 碗

卷心菜（切丝）1/2 个

酱油 适量

白胡椒粉 适量

葡萄籽油 适量

步骤:

1. 将通心粉煮到七分熟，捞出并沥干水分。

2. 锅中加入葡萄籽油，倒入卷心菜丝翻炒约 30 秒，加入煮好的通心粉和酱油继续翻炒 2 分钟。

3. 盛出后，撒上白胡椒粉即可。

无五辛

花椒荞麦面

材料:

荞麦面 1 把

花生油 3 大匙

花椒 1 把

有机酱油 3 大匙

芝麻 少许

步骤:

1. 锅中热油，放入花椒爆香，随即关火，将花椒
   滤出，再倒入适量的有机酱油制成花椒汁。

2. 荞麦面煮熟后过凉水沥干水分。将花椒汁倒入
   面中并拌匀，撒上芝麻即可。

无五辛

酱油糙米饭

材料：

糙米 1 碗

大蒜（切末）5 瓣

橄榄油 适量

酱油 适量

饮用水 适量

步骤：

1. 将糙米提前浸泡一夜。锅中倒入橄榄油，油热后倒入蒜末爆香，随后倒入糙米翻炒几下。再加入饮用水，水要没过糙米。大火煮沸后，盖上锅盖，小火再焖煮 20 分钟。

2. 糙米焖熟后，倒入酱油搅拌均匀即可。

无麸质

甜品 / 零食

Desserts/ Snacks

燕麦软饼

材料:

香蕉 3 根
燕麦片 1 杯
葡萄干 适量
椰子油 适量

步骤:

1. 将香蕉用叉子捣成泥,加入燕麦片和葡萄干后拌匀。

2. 用勺子将拌匀的混合物一勺勺地放在涂抹过椰子油的烤盘上。

3. 烤箱预热至 180℃,将烤盘放入烤箱内烘烤 20 分钟即可。

烤箱

无五辛 / 无麸质

椰蓉小南瓜　　02

材料：

贝贝南瓜 1 个

龙舌兰蜜 适量

椰蓉 适量

步骤：

1. 南瓜蒸熟后，与龙舌兰蜜混合均匀，用手捏成小球。

2. 在南瓜球上撒上椰蓉即可。

无五辛 / 无麸质

花生豆腐
冰淇淋

03

材料：

内脂豆腐 2 块

花生酱 3 大匙

龙舌兰蜜 适量

海盐 少许

朗姆酒（可选）适量

步骤：

1. 豆腐沥水 2 小时，用纱布包裹豆腐，再用手
   攥出多余水分。

2. 把沥干水分的豆腐与花生酱、龙舌兰蜜、海盐、
   朗姆酒一起在搅拌机内搅拌至顺滑。

3. 将混合物倒入容器中，放入冰箱冷冻 4 小时
   以上直至凝固，取出后放置片刻，即可食用。

搅拌机

无五辛 / 无麸质

西瓜冰沙

材料:

小西瓜（取果肉） 1 个

柠檬（取汁）1 个

薄荷叶 少许

烟熏辣椒粉 少许

步骤:

1. 将所有食材在搅拌机中搅拌至顺滑后取出并过筛。

2. 将过筛后的西瓜汁放入一个较深的容器中，在冰箱里冷冻 4 小时或隔夜后取出。

3. 用勺子刮出冰沙后装碗食用即可。

搅拌机

无五辛／无麸质／生食

蜜糖水蜜桃

材料：

水蜜桃 3 个
杏仁碎 1 把
龙舌兰蜜 适量
新鲜百里香 1 枝

步骤：

1. 水蜜桃切两半，去核，淋上龙舌兰蜜。

2. 将烤箱预热至 180℃，把水蜜桃放入烤箱内烘烤 20 分钟。之后将杏仁碎撒在水蜜桃上，再放上 1 枝新鲜百里香，继续烘烤 10 分钟至水蜜桃变软即可。

烤箱

无五辛 / 无麸质

巧克力爆米花　06

材料：

干玉米粒 1 杯
椰子油 3 大匙
巧克力酱 适量

步骤：

1. 锅中倒入椰子油，开小火，待其融化后倒入干
玉米粒，将干玉米粒和椰子油搅拌均匀。

2. 盖上锅盖，开大火，待干玉米粒开始爆开并发
出响声时转小火，并拿起锅不停地晃动。

3. 待锅中干玉米粒爆开的响声停止后，打开锅盖
加入巧克力酱混合均匀即可。

无五辛 / 无麸质

鲜草莓巧克力　07

材料：

草莓 1 碗

可可粉 2 大匙

椰子油 5 大匙

龙舌兰蜜 3 大匙

步骤：

1. 将可可粉与椰子油、龙舌兰蜜混合均匀。

2. 将每颗草莓均匀地裹上一层可可粉混合物，放入冰箱冷冻 1 小时至巧克力混合物凝固即可。

水果奇亚籽布丁

08

无五辛 / 无麸质 / 生食

材料：

奇亚籽 1/2 杯
植物奶 1/2 杯
新鲜水果 适量
龙舌兰蜜 适量

步骤：

1. 将植物奶与奇亚籽混合，放入冰箱冷藏 2 小时或隔夜冷藏，直至奇亚籽膨胀且凝固。
2. 将奇亚籽从冰箱内取出后，在顶部点缀上水果，淋上龙舌兰蜜即可享用。

饮品

Drinks

百香果气泡水 01

材料：

气泡水 1 瓶
百香果 1 个
柠檬 1 片
新鲜薄荷叶 1 枝

步骤：

百香果对半切开，将果肉放入杯底，加入柠檬片和新鲜薄荷叶，再倒入气泡水即可。

无五辛 / 无麸质 / 生食

02 迷迭香草莓汁

材料：

草莓 1 杯

新鲜迷迭香 2 枝

气泡水 2 瓶

起泡酒（可省）1 杯

龙舌兰蜜 适量

步骤：

草莓切块，放入杯子中，加入龙舌兰蜜、起泡酒、气泡水搅拌均匀，最后放入 1 枝新鲜迷迭香即可。

无麸质 / 生食

冰冻奶茶

材料：

红茶包 1 个
热开水 1/2 杯
植物奶 1/2 杯
冰块 适量

步骤：

1. 用热开水将红茶包冲开。
2. 待红茶冷却后，加入植物奶搅拌，最后加入冰块即可。

无五辛 / 无麸质

04

糙米豆奶

材料:

糙米 1/4 杯
黄豆 1/4 杯
原糖 适量
开水 4 杯

步骤:

1. 将糙米和黄豆浸泡一夜。
2. 将糙米、黄豆、原糖、开水放入搅拌机内搅拌均匀即可。

无五辛 / 无麸质

图书在版编目（CIP）数据

简·味 / 张小马主编. — 北京：电子工业出版社，2019.1

ISBN 978-7-121-35664-3

Ⅰ.①简… Ⅱ.①张… Ⅲ.①菜谱 Ⅳ.①TS972.12

中国版本图书馆CIP数据核字(2018)第275673号

策划编辑：白　兰

责任编辑：张瑞喜

印　　刷：中国电影出版社印刷厂

装　　订：中国电影出版社印刷厂

出版发行：电子工业出版社

　　　　　北京市海淀区万寿路173信箱　　邮编：100036

开　　本：889×1094　1/16　印张：11　字数：144千字

版　　次：2019年1月第1版

印　　次：2019年1月第1次印刷

定　　价：58.00元

凡所购买电子工业出版社图书有缺损问题，请向购买书店调换。若书店售缺，请与本社发行部联系，联系及邮购电话：（010）88254888，88258888。

质量投诉请发邮件至zlts@phei.com.cn，盗版侵权举报请发邮件至dbqq@phei.com.cn。

本书咨询电邮：bailan@phei.com.cn，咨询电话：（010）68250802。